# Prions le Seigneur

**Mon âme a soif de Dieu**

COMME un cerf altéré
cherche l'eau vive,
ainsi mon âme te cherche,
toi, mon Dieu.

*Psaume 41*

Loi n° 49-956 du 16 juillet 1949 sur les publications destinées à la jeunesse
Dépôt légal 1er trimestre 1981 Deux Coqs d'Or Editeur n° 2-7585-1-81
Imprimé en Italie

ISBN 2-7192-0030-1


*Titre original : Gift Book of Prayers for Children*

# Les Prières que j'aime

## Illustrations de Janet et Anne Grahame Johnstone



**DEUX COQS D'OR**

MERCI mon Dieu, pour les bonnes odeurs,
les belles couleurs, le goût délicieux,
piquant ou doux, salé ou sucré,
de ce que nous allons manger.

TU nous conduis Seigneur Jésus,
vers la fraîcheur des sources vives,
vers le jardin perdu.

Un jour enfin tu paraîtras
dans la lumière de l'aurore,
et notre attente finira.

**Il vient pour juger la terre**

CHANTEZ au Seigneur un chant nouveau
chantez au Seigneur, terre entière,
chantez au Seigneur et bénissez son nom !

Joie au ciel ! Exulte la terre !
les masses de la mer mugissent,
la campagne tout entière est en fête.

Les arbres des forêts dansent de joie
devant la face du Seigneur, car il vient,
car il vient pour juger la terre.

*Psaume 95*

**Au matin, tu écoutes ma voix**

ECOUTE mes paroles, Seigneur,
comprends ma plainte ;
entends ma voix qui t'appelle,
O mon Roi et mon Dieu !

Je me tourne vers toi, Seigneur,
au matin, tu écoutes ma voix ;
au matin, je me prépare pour toi
et je reste en éveil.

*Psaume 5*

**Que tout être vivant chante louange**

Alleluia !

Louez Dieu dans son temple saint,

Louez-le en sonnant du cor,
louez-le sur la harpe et la cithare ;

louez-le par les cordes et les flûtes,
louez-le par la danse et le tambour !

Louez-le par les cymbales sonores,
louez-le par les cymbales triomphantes !

Et que tout être vivant
chante louange au Seigneur !

Alléluia !

*Psaume 150*

**Notre Père**

NOTRE père qui es aux cieux,
que ton nom soit sanctifié,
que ton règne vienne,
que ta volonté soit faite
sur la terre comme au ciel.
Donne-nous aujourd'hui
notre pain de ce jour.
Pardonne-nous nos offenses,
comme nous pardonnons aussi
à ceux qui nous ont offensés.
Et ne nous soumets pas à la tentation,
mais délivre-nous du Mal.

## Acte de contrition

MON Dieu, j'ai un très grand regret de t'avoir offensé
parce que tu es infiniment bon, et que le péché te déplaît.
Je prends la ferme résolution, avec le secours de ta sainte grâce,
de ne plus t'offenser et de faire pénitence.

## Bénissez le Seigneur

QUE la terre bénisse le Seigneur :
A lui, haute gloire, louange éternelle !

Et vous, montagnes et collines,
bénissez le Seigneur,

et vous les plantes de la terre,
bénissez le Seigneur,

et vous, sources et fontaines,
bénissez le Seigneur !

Et vous, océans et rivières,
bénissez le Seigneur,

baleines et bêtes de la mer,
bénissez le Seigneur,

vous tous, les oiseaux dans le ciel,
bénissez le Seigneur,

vous tous, fauves et troupeaux,
bénissez le Seigneur :

A lui, haute gloire, louange éternelle !

*Cantique 41 de l'Ancien Testament*

**L'offrande du soir**

SEIGNEUR, je t'appelle : accours vers moi !
Ecoute mon appel quand je crie vers toi !
Que ma prière devant toi s'élève comme un encens
et mes mains, comme l'offrande du soir.

*Psaume 140*

## Tu es avec moi

LE Seigneur est mon berger :
je ne manque de rien.
Sur des prés d'herbe fraîche,
il me fait reposer.

Il me mène vers les eaux tranquilles
et me fait revivre ;
il me conduit par le juste chemin
pour l'honneur de son nom.

Grâce et bonheur m'accompagnent
tous les jours de ma vie ;
j'habiterai la maison du Seigneur
pour la durée de mes jours.

*Psaume 22*

SEIGNEUR, avant que la Lune
soit dans le ciel, déjà, tu existais.

**P**OUR le ciel
le soleil
et l'oiseau,
pour l'été,
les vacances,
et le monde entier,
Seigneur, soit remercié.

**Vivre ensemble, être unis**

OUI, il est bon, il est doux pour des frères
de vivre ensemble et d'être unis !
C'est là que le Seigneur envoie la bénédiction,
la vie pour toujours.

*Psaume 132*

JE lève les yeux vers toi,
Seigneur,
et je te prie de me garder
jusqu'au matin.
Tes anges m'entourent,
je n'ai peur de rien.
De ton amour,
remplis mon cœur.

MON Dieu, rendez-moi
doux et humble de cœur,
soumis comme un agneau
à votre volonté.

## Bénédiction

QUE Dieu tout-puissant
vous bénisse,
le Père, le Fils et le Saint-Esprit.
Amen

SEIGNEUR mon Dieu, tu es si grand !
Revêtu de magnificence,
tu as pour manteau la lumière !

*Psaume 103*

LOUÉ sois-tu mon Seigneur, pour notre sœur la terre,
qui nous soutient et nous nourrit
et produit divers fruits
avec les fleurs aux mille couleurs et l'herbe.

SAINT FRANÇOIS D'ASSISE

LES roses s'ouvrent et... se fanent.
Dieu, lui, ne passe pas.
Qu'il nous bénisse et nous donne
de garder nos cœurs d'enfants.

HANS CHRISTIAN ANDERSEN

A TOI, le règne ;
à toi, la puissance et la gloire,
pour les siècles des siècles !

**O** DIEU, protège-moi !
La mer est si grande,
et mon bateau si petit.

*(Prière du pêcheur breton)*

LOUÉ sois-tu, mon Seigneur, pour frère vent,
pour l'air et les nuages,
et le ciel pur, et tous les temps,
par lesquels à tes créatures
tu donnes soutien.
SAINT FRANÇOIS D'ASSISE

**Le Seigneur, ton gardien**

JE lève les yeux vers les montagnes :
d'où le secours me viendra-t-il ?
Le secours me viendra du Seigneur
qui a fait le ciel et la terre.

Le Seigneur, ton gardien,
le Seigneur, ton ombrage, se tient près de toi.
Le soleil, pendant le jour ne pourra te frapper,
ni la lune, durant la nuit.

Le Seigneur te gardera de tout mal,
il gardera ta vie.
Le Seigneur te gardera, au départ et au retour,
maintenant, à jamais.

*Psaume 120*

**M**ERCI, Seigneur
pour la nuit,
le sommeil
et les rêves.
Protège tous ceux
que j'aime
et fais que je me réveille
avec des forces nouvelles.

**Le jour est dans tout son éclat**

LE jour est dans tout son éclat,
La terre est pleine de ta gloire ;
Nous t'adorons, ô Dieu Puissant,
Dans la splendeur de ta lumière.

Eteins la flamme du péché
et les ardeurs de la colère ;
Emplis nos cœurs de ton amour,
Et que ta paix nous réunisse.

ALAIN RIVIERE
*extrait de « Trois hymnes du jour » © C.N.P.L.*

## Merci Jésus

SOYEUSES passeroses, petit persil frisé,
feuilles de choux, feuilles de roses
et les fils de l'araignée
gardent des perles de rosée.

Scarabées et coccinelles,
sous la menthe pâle, luisent au soleil.
Rouges géranium et bleus delphinium
clament ta gloire dès le réveil.
Merci Jésus.

NOUS te louons, nous te bénissons, nous t'adorons,
Nous te glorifions, nous te rendons grâce,
pour ton immense gloire,
Seigneur Dieu, Roi du ciel,
Dieu le Père tout-puissant.

POUR la joie d'être ensemble
et pour tout ce qui nous arrive,
remercions le Seigneur !

## Tu rassasies avec bonté tout ce qui vit

CHAQUE jour je te bénirai,
je louerai ton nom toujours et à jamais.
Il est grand, le Seigneur, hautement loué ;
à sa grandeur, il n'est pas de limite.

*Psaume 144*

**M**ON Dieu, venez en moi,
pour que vous demeuriez en moi
et que je demeure en vous...

CURÉ D'ARS

## Tu me donnes d'habiter dans la confiance

DANS la paix moi aussi, je me couche
et je dors,
car tu me donnes d'habiter, Seigneur,
seul, dans la confiance.

*Psaume 4*

**La prière du cow-boy**

MON Dieu, il fait si chaud, et j'ai tellement soif...
Protège-moi du soleil brûlant
et dirige mes pas vers un point d'eau.
Ecarte de ma route les voleurs et les vents de sable.
Et quand, grâce à ta protection,
j'arriverai sain et sauf au bout du voyage,
fais que je n'oublie pas de te dire merci.

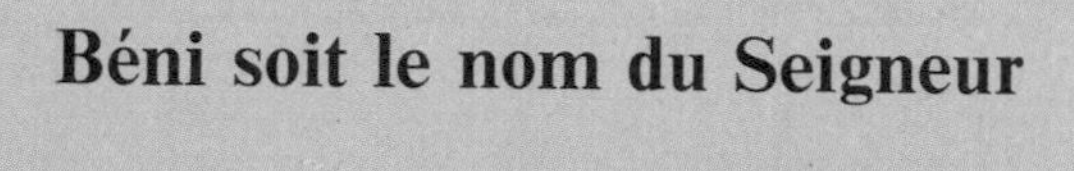

## Béni soit le nom du Seigneur

LOUEZ, serviteurs du Seigneur,
louez le nom du Seigneur !
Béni soit le nom du Seigneur,
maintenant et pour les siècles des siècles !

*Psaume 112*

COMME une mère donne la main à son enfant,
Seigneur, tu me protèges et tu me guides.
Comme l'enfant qui marche à côté de sa mère,
je suis tranquille et rassuré.

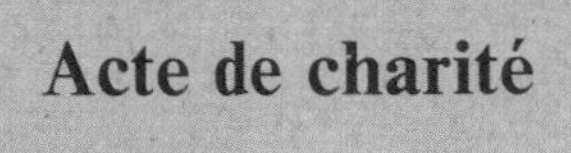

**Acte de charité**

MON Dieu, je t'aime de tout mon cœur
et plus que tout,
parce que tu es infiniment bon,
et j'aime mon prochain comme moi-même
pour l'amour de toi.

**Vous aussi...**

VOUS aussi les chauves-souris
qui sortez la nuit
et les serpents tout engourdis,
rats et souris
pas très jolis,
crapauds bruns et grenouilles vertes,
punaises et vers, vous êtes, certes,
des créatures de Dieu. Eh oui !
Alors, à votre manière,
quand vous sortez de vos tanières
n'oubliez pas de dire : merci.

Dieu
est
Amour